LE CLAN DES SEPT

*

LES SEPT

À

200 À L'HEURE

une nouvelle aventure des personnages créés par
ENID BLYTON
racontée par EVELYNE LALLEMAND

images de
PIERRE BROCHARD

HACHETTE

UN ÉCLAIR jaillit dans la cour de la ferme. VROOMMM.

Le moteur de la décapotable vrombit de tous ses pistons et s'éteignit dans un crissement de pneus.

« Super! » souffla Pierre en haut de l'échelle où il s'était réfugié pour lire un bon bouquin.

Il claqua son livre et se laissa glisser jusqu'au sol. Quand il s'approcha du bolide qui venait de s'arrêter, un homme de grande taille en descendait.

« Jean Lemercier, dit-il en tendant une main au garçon.

— Bonjour, monsieur... Je crois qu'il y a erreur, ici c'est une ferme, pas un garage.

— Je sais, je sais, répondit l'homme en souriant. J'ai appris à faire la différence entre une vache et une pompe à essence! »

Et il partit d'un grand rire... communicatif. L'instant d'après, Pierre se tenait les côtes.

Alerté par les voix de son fils et du visiteur, M. Dufour, qui travaillait à l'intérieur de l'étable, sortit dans la cour. Il vit d'abord la voiture, puis à côté, le conducteur et Pierre en train de rire à gorge déployée.

Intrigué, il s'avança.

« Monsieur? » bougonna-t-il d'une voix bourrue à travers sa moustache.

Immédiatement, M. Lemercier retrouva son sérieux. Il se présenta, puis expliqua l'objet de sa visite.

Et ce qu'il dit eut sur Pierre l'effet d'une douche merveilleuse. Le garçon s'arrêta brusquement de rire; il ouvrit grand ses yeux et ses oreilles; il se sentait flotter comme dans un rêve...

*
**

Le lendemain mercredi, Pierre convoquait le Clan en une réunion extraordinaire, au fond de la remise.

Tous ses camarades avaient répondu à son appel. Même Moustique le fidèle épagneul était présent, tranquillement allongé sur un vieux tapis aux pieds des enfants.

Pierre venait de raconter l'arrivée de la voiture. Il avait décrit minutieusement le long capot métallisé et les chromes étincelants. Il avait imité le ronflement du moteur et, en sifflant entre ses dents, le coup de frein magistral qui l'avait surpris dans sa lecture.

« Très joli, tout ça! s'impatienta Colin. Mais où veux-tu en venir?

— Qu'est-ce qu'il voulait, le conducteur de la voiture? réclama Babette. Arrête de nous faire languir!

— J'y viens, j'y viens », répondit le chef du Clan, un petit sourire en coin, tout fier de tenir son auditoire en haleine.

Il rapporta encore la drôlerie des présentations, puis l'arrivée de son père.

« L'homme à la voiture s'appelle Lemercier, annonça-t-il.

— Ah, enfin! s'exclama Jacques. Voilà au moins quelque chose à se mettre sous la dent! »

A ces mots, Moustique se dressa joyeusement comme si on l'invitait à venir prendre son repas.

« Mais non, nigaud! lui dit Jeannette en le caressant. Il ne s'agit pas de tes dents à toi, lui expliqua-t-elle, ce Lemercier n'est pas un os à moelle! »

Calmé, l'épagneul se recoucha sans broncher.

« M. Lemercier, reprit Pierre. M. Jean Lemercier, précisa-t-il en prenant bien soin de détacher ses mots, conférant ainsi à ses propos une solen-

nité presque inquiétante. M. Jean Lemercier, répéta-t-il, est arrivé hier à Blainville pour organiser la Grande Course Automobile du château de Meauvert!

— Pas possible! s'écria Georges incrédule.

— Je croyais que le projet avait été refusé, avoua Jacques. L'an dernier encore...

— Aujourd'hui il est accepté, coupa Pierre. Et la course aura lieu le mois prochain.

— Sensationnel! exulta Colin. Ça sera autrement plus chouette qu'un reportage à la télé! Des vraies formules I, longues comme des zincs, avec des pneus plus larges que des roues de tracteurs!

— Moi, je ne comprends rien à ces histoires, avoua Pam. Qu'est-ce que venait faire ce Lemercier à la ferme de ton père? Je ne vois pas le rapport avec la course.

— Il voulait nous acheter des bottes de paille, expliqua Pierre.

— Ah oui, des bottes de paille pour la protection le long du circuit! devina Colin.

— Exact, confirma le chef du Clan. Il en a commandé deux camions. Il nous a dit aussi qu'ils allaient construire des tribunes et des stands pour les voitures...

— Oh! là, là! quelle fête, mes amis! » s'écria Jacques en se frottant les mains.

Et de joie, il se leva pour esquisser quelques pas de danse.

« La nouvelle fait des heureux, c'est déjà ça! pesta Babette entre ses dents.

— Regarde, ils ne se tiennent plus », répondit Pam sur le même ton pincé.

Elle désigna les quatre garçons qui s'étaient mis à faire la ronde autour de l'épagneul, visiblement dépassé.

« Pendant que nos chers amis s'abrutiront à regarder passer les bolides, nous, nous resterons à la maison faire des pâtisseries, proposa Jeannette.

— Ah, non! protesta Babette. Nous agirons! Nous chercherons de l'extraordinaire, du jamais vu...

— Et nous mènerons notre propre enquête, sans eux! » enchaîna Pam, décidée.

Les trois filles s'apprêtaient déjà à quitter la remise, lorsque Pierre annonça le nom du grand favori de la course. Elles se figèrent sur place.

« Michel Létang, oui, Michel Létang en personne sera à Blainville le mois prochain! répétait Pierre.

— Michel Létang, murmura Babette stupéfaite.

— Sa photo était la semaine dernière encore dans la page des jeunes, précisa Jeannette.

— Il est d'une beauté... Brun avec des yeux bleus, continua Pam. Et l'on dit qu'il n'a même pas vingt ans! »

D'un bond, les trois filles regagnèrent leurs

chaises : la course prenait brusquement pour elles un très vif intérêt...

***

Le surlendemain, les journaux de la région annoncèrent la nouvelle. *La Voix de l'Ouest* publia plusieurs photos des voitures en compétition et *L'Echo de Blainville* passa une longue interview du fameux Létang.

Pam et Babette relurent plus de vingt fois les propos du coureur. A la fin, elles auraient pu réciter par cœur les colonnes du journal.

A plusieurs reprises au cours de la semaine suivante, les Sept rencontrèrent M. Lemercier dans les rues de Blainville. Pierre lui présenta ses camarades. Dès lors, quand il les croisait, l'organisateur les saluait d'un signe amical.

Déjà des camionnettes peintes aux couleurs criardes de quelques marques de pneus ou d'essence sillonnaient la ville.

Une équipe d'ouvriers spécialement dépêchée pour préparer le circuit s'installa à l'auberge du Moulin, tandis qu'au *Grand Hôtel*, le standard enregistrait sans arrêt les réservations des chambres des participants, des journalistes et des accompagnateurs...

Le lundi, deux camions semi-remorques s'arrêtaient devant la ferme des Dufour et repartaient trois heures plus tard chargés de paille.

On était maintenant à moins de trois semaines du grand jour. Blainville vivait sous le règne de l'automobile. Des affiches tapageuses étaient placardées sur les murs, des banderoles et des drapeaux égayaient les rues; l'effervescence des préparatifs atteignait son comble...

*
* *

Le mercredi, Pierre décida qu'il était temps qu'ils fassent connaissance avec le nouveau circuit de Meauvert.

A bicyclette, les Sept ne tardèrent pas à atteindre le premier lacet de la petite route qui menait au château. Et là, quelle surprise!

Une large barrière rayée rouge et blanc interdisait d'aller plus loin. Devant, un motard, près de sa moto béquillée, montait la garde.

« Halte! cria l'homme en uniforme. On ne passe pas! »

Pierre freina, imité aussitôt par ses six camarades.

« Nous allons repérer le circuit, expliqua-t-il.

— Interdit! déclara sévèrement le motard.

— Mais nous sommes attendus, implora Pam sur un ton minaudeur. M. Lemercier en personne nous a invités.

— M. Lemercier? Connais pas! décréta le motard.

— C'est l'organisateur en chef de la course, précisa Jacques. C'est lui le grand patron.

— Le grand patron... bougonna le motard en se grattant le menton. Allez, c'est bon, vous pouvez passer, mais laissez vos vélos ici et montez à pied. »

Les Sept ne se le firent pas dire deux fois et dix secondes après ils enjambaient la barrière.

« Ça alors! s'écria Colin après quelques pas. Ils ont élargi la route.

— Seulement ici, constata Babette. Plus haut elle est toujours aussi étroite, précisa-t-elle en désignant le mince ruban de goudron qui serpentait au flanc de la montagne.

— Je comprends, devina Georges. Ils ont dégagé ce terre-plein pour organiser le départ...

— C'est ça, confirma Jacques. Vous voyez là-bas, des ouvriers sont en train d'assembler des gradins.

— Et voici les stands où seront parquées les voitures », ajouta Pam en indiquant de larges boxes de bois que l'on avait édifiés à gauche des tribunes.

Soudain une musique de fanfare leur transperça les oreilles. Surprise, Jeannette poussa un cri.

« Essai sono... Essai sono! » vociféra alors une voix à travers les haut-parleurs géants suspendus à des poteaux de bois aux quatre coins de l'esplanade.

« ... Sono... Essai... So... WRIIIPSSTT...

— Pas concluant leur truc! » déclara Colin moqueur.

Puis la musique revint, beaucoup moins forte, presque agréable.

« C'est tout de même mieux, admit Jeannette ôtant les mains de ses oreilles.

— Et si on continuait la visite? proposa Pierre en invitant ses camarades à l'accompagner. Après le départ, la montée... Mesdames, messieurs, veuillez suivre le guide! »

Ils grimpèrent un bon kilomètre sans rien voir de nouveau. La petite route serpentait, pareille à elle-même : d'un côté, le ravin plongeait vers la vallée, de l'autre, la paroi abrupte de la montagne s'élevait comme un mur. Les buissons étaient fleuris et Pam décréta qu'il y aurait beaucoup de framboises cette année-là.

Ils n'avaient pas rencontré âme qui vive depuis le départ quand, au détour d'un virage, une odeur forte, presque désagréable, amenée par le vent, leur annonça que l'on effectuait des travaux un peu plus haut.

« Ça sent le goudron! Pouah! Quelle horreur! se plaignit Jeannette.

— Ils refont sûrement la chaussée, conclut Colin.

— Pas étonnant, assura Georges. Cet hiver, avec le gel et la neige, les camions ont creusé de véritables nids-de-poule.

— A cent cinquante à l'heure, si tu passes dans un trou pareil, expliqua Jacques, ça ne pardonne pas! Tu plonges tout droit dans le ravin ou tu t'écrases contre le rocher. »

Ils entendaient déjà le ronflement des moteurs des engins. Quelques centaines de mètres plus loin, ils aperçurent le chantier. Des ouvriers, en effet, retapaient la chaussée, la recouvrant par endroits d'une épaisse couche de goudron fumant. Ils évitèrent les travaux en passant par la forêt qui, à cette hauteur de la côte, envahissait le flanc de la montagne. Ils purent même couper par un sentier escarpé et retrouvèrent la route au lacet suivant.

Ils durent marcher plus de vingt minutes encore avant d'arriver à Meauvert, contournant soigneusement les plaques de goudron frais. La route était maintenant jalonnée de bottes de paille et une large bande blanche était peinte au centre de la chaussée. Enfin, les tours du château apparurent derrière les arbres.

Au centre de la grande place qui s'étendait au pied de la forteresse, tout de suite ils aperçurent, comme un maître de ballets dirigeant des danseurs, M. Lemercier. Muni d'un porte-voix, il était en train de faire poser à trois ouvriers perchés sur des échelles une grande draperie jaune et bleue au fronton des tribunes. Dès qu'il vit les Sept, il vint à leur rencontre et leur serra la main.

ILS PURENT MÊME COU-
PER PAR UN SENTIER
ESCARPÉ ...

ENFIN LES
TOURS DU CHÂ-
TEAU APPA-
RURENT DER-
RIÈRE LES
ARBRES ...

« Jaune et bleu, que pensez-vous de ces couleurs? leur demanda-t-il avec un joyeux sourire.

— Ce sont les couleurs de Blainville, fit remarquer Babette.

— Ce sont aussi celles que nous avons choisies pour la Course de Meauvert, expliqua-t-il. Regardez l'écusson! »

Il désignait un grand cercle jaune, sur lequel une roue de bolide était peinte en bleu, que les ouvriers hissaient maintenant en haut des tribunes pour parachever la décoration.

« Stop! cria-t-il. Parfait! »

Puis se tournant vers les enfants, il les prit à témoins.

« Qu'en pensez-vous?

— Formidable! s'enthousiasma Pierre.

— C'est ici même, continua M. Lemercier, que l'un des coureurs recevra des mains de M. Perdaillon, le maire de votre ville, le premier grand prix de la course de Meauvert.

— Je parie pour Michel Létang, ne put s'empêcher de crier Pam en exécutant un petit bond sur place.

— Il est bien placé, admit l'organisateur. Mais il aura de sérieux concurrents. Pedro Gonzalez, l'Espagnol, et l'Italien Angelo Janini. Et j'allais oublier le plus redoutable de tous : l'Américain Jimmy Curtis!

— Jimmy Curtis! répéta Jacques. Il sera là lui aussi?

— Aïe! Aïe! Aïe! Ça va faire mal! admit Colin en se frottant les mains.

— C'est bien lui qui a remporté le Rallye des deux Amériques? questionna Pierre vivement intéressé.

— C'est lui, confirma M. Lemercier. Et il a été quatre années de suite champion du monde, jusqu'à l'an passé où il s'est fait souffler le titre par le jeune Létang.

— Et quand va-t-on les voir, ces coureurs? demanda Jeannette avec empressement.

— Dès la semaine prochaine, assura l'organisateur. Meauvert est un nouveau circuit; il leur faudra plusieurs jours pour reconnaître chaque bosse, chaque virage, chaque ligne droite. Vous savez, un bon pilote, à la fin de ses repérages, pourrait pratiquement conduire les yeux fermés.

— Incroyable! » souffla Pam émerveillée.

A cet instant, les enfants durent se déplacer : les peintres traçaient avec leurs pistolets-compresseurs une longue ligne blanche perpendiculaire aux tribunes.

« La ligne d'arrivée », précisa M. Lemercier.

Chacun se demanda alors lequel des quatre grands favoris la franchirait en vainqueur.

**

L'après-midi touchait à sa fin lorsque les Sept redescendirent la petite route en lacet. Alors

qu'en montant, ils avaient pris grand soin de ne pas marcher sur les plaques de goudron frais, ils constatèrent avec étonnement que d'autres avaient agi avec beaucoup moins de scrupules.

« Les sans-gêne! s'indigna Georges. Regardez, il y a des traces de pas partout. A croire qu'ils l'ont fait exprès.

— Ils l'ont fait exprès, assura Colin. Les empreintes sont dans tous les sens. Si j'attrapais ces voyous...

— Qu'à cela ne tienne! coupa Babette en désignant cinquante mètres plus bas la stupide Nicole et la sournoise Suzy.

— Les deux pestes! s'écria Jacques. Il fallait s'y attendre!

— Ta sœur était encore en train d'écouter aux portes quand tu as dit à tes parents que tu partais pour Meauvert, devina Jeannette.

— L'horreur! » fulmina Jacques.

Mais il s'arrêta net, stupéfait.

« Oh! Quel toupet! suffoqua-t-il. Elles ont démoli la protection de paille...

— ... Et elles font une pyramide avec les bottes! continua Pierre, lui aussi dépassé.

— Mort aux chipies! » lança Colin en tendant un poing vengeur.

Et les Sept, tous ensemble, de se mettre à courir en direction des deux filles.

Quand elles les virent fondre sur elles comme

l'aigle sur sa proie, les pestes poussèrent des cris de frayeur et détalèrent à se rompre le cou.

La course dura jusqu'au bas de la descente. Poursuivies et poursuivants traversèrent l'esplanade du départ comme des flèches.

Une seconde après Suzy et Nicole enfourchaient leurs vélos sans demander leur reste!

« Sabotage! » hurla Pierre en prenant sa bicyclette.

Fou furieux, il venait de constater que sa roue arrière était solidement ficelée à la roue avant du vélo garé près du sien.

« Les vipères! vociféra Jacques en découvrant que les sept bicyclettes étaient pareillement attachées les unes aux autres. Elles nous le paieront cher! »

A dix pas des enfants, le motard souriait placidement sous son casque...

*
* *

Le lundi suivant arrivèrent les vacances de printemps et, avec elles, les concurrents de la course de Meauvert.

C'est Jacques qui aperçut le premier bolide. Un matin, en revenant de chez le pâtissier où il venait d'acheter des croissants, il le vit apparaître au carrefour des Lilas tiré par une grosse berline.

Il courut l'observer de plus près.

L'engin mesurait bien quatre mètres de lon-

LA COURSE DURA JUSQU'AU BAS DE LA DESCENTE

gueur. Il avait des roues impressionnantes; à l'arrière, elles dépassaient même le fuselage étincelant! Quatre pots d'échappement, véritables tuyaux d'orgue, sortaient sous le stabilisateur horizontal sans lequel le véhicule propulsé à des vitesses infernales quitterait la route en s'envolant comme un supersonique!...

D'autres voitures arrivèrent. Tout aussi impressionnantes, diaboliques même.

Les terrasses du *Grand Hôtel* devinrent en quelques jours le carrefour du monde automobile.

Georges et Colin passaient et repassaient devant l'établissement pour essayer d'entrevoir quelques têtes connues. Ils allèrent jusqu'à rôder autour des tables occupées par les journalistes, par les photographes et les chroniqueurs spécialisés.

On prononçait beaucoup le nom de Létang, mais on lui opposait toujours celui de Curtis.

« L'un d'eux remportera certainement la victoire », conclurent les garçons.

*

Les essais débutèrent dès le lendemain mardi. Les Sept au grand complet se rendirent à Meauvert. Ils n'étaient pas les seuls! Déjà des dizaines d'amateurs chevronnés avaient envahi le circuit.

Certains même étaient là depuis la veille,

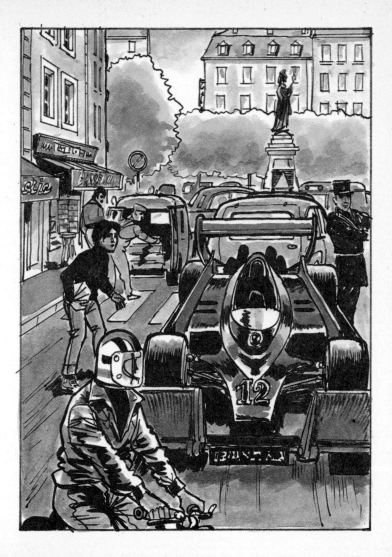

LES VOITURES EN COMPÉTITION RONFLAIENT DANS LEURS STANDS...

ayant dressé leurs tentes aux abords de la piste. Jamais, dans ces parages, on avait vu autant de monde. Il régnait un air de fête que les vendeurs de frites et de sandwiches rendaient encore plus évident. Les voitures en compétition ronflaient dans leurs stands, les haut-parleurs transmettaient des ordres, des hommes en combinaisons bleues couraient dans tous les sens... Quelle joyeuse confusion!

Pierre et ses camarades se dirigèrent immédiatement vers les voitures.

« Où est Michel Létang, je ne le vois pas! répétait sans arrêt Pam très agitée.

— Il n'est peut-être pas encore arrivé, se

lamentait Babette, elle aussi impatiente d'apercevoir le coureur.

— Mais si, il est là! leur affirma Jacques. Ils l'ont annoncé hier soir à la télé régionale.

— Regardez, ici c'est la place de Gonzalez, annonça Colin en désignant le stand devant lequel ils passaient.

— España, lut à haute voix Babette.

— *España, pais del sol y del as del volante!* » reprit en riant un petit homme brun, tout taché de cambouis.

Babette fit des yeux ronds d'étonnement.

« Moi, pas comprendre... moi... savoir seulement français... bredouilla-t-elle.

— Qu'est-ce qui te prend de lui parler petit nègre? s'indigna Georges. Ce n'est pas un attardé mental!

— Merci du compliment! » s'exclama l'homme avec un fort accent étranger. Et s'adressant plus particulièrement à Babette qui avait rougi à la remarque de Georges, il ajouta : « J'ai simplement dit : « Espagne, pays du soleil et du roi du « volant! »

— C'est donc bien vous Pedro Gonzalez? » s'enquit Pierre.

Le petit homme partit alors d'un grand rire, courut jusqu'à une boîte à outils et en ramena une grosse clef à molette.

« Que non! Que non! Je suis son mécano! Le

roi de la vis et du boulon... ajouta-t-il en brandissant sa clef.

— Bien parlé! » approuva une voix derrière le petit groupe réuni autour du mécanicien.

Les Sept se retournèrent et virent un bel homme au teint basané qui leur souriait dans son impeccable combinaison blanche. Il se présenta :

« Je suis Pedro Gonzalez, et lui, c'est Juan, mon fidèle bras droit. »

Très intimidés, les enfants saluèrent le coureur.

« Bon, il faut se mettre au travail, décida joyeusement celui-ci en ajustant son casque sur sa tête.

— Bonne chance! » lui cria Pierre alors que, déjà, il avait pris place dans l'étroit cigare métallique qu'il faisait vibrer de toutes ses tôles.

Juan leur fit un signe amical avant de disparaître, tête la première, dans le moteur pour y effectuer les ultimes vérifications.

« Il me plaît bien ce Gonzalez, reconnut Babette en s'éloignant avec ses camarades.

— Je ne vois toujours pas le stand de Michel Létang, se plaignit Pam qui cherchait des yeux l'emplacement du Français.

— Pour te consoler, voici celui de Jimmy Curtis », lui répondit Pierre en prenant la direction qu'il venait d'indiquer.

U.S.A. Trois lettres rouges sur fond blanc signalaient la présence du fameux coureur.

Les Sept s'approchèrent.

« Curtis est là! chuchota Colin, impressionné.

— Où ça? questionna Babette intriguée.

— Là-bas, derrière la voiture, il est en train de lire un journal.

— Tu es sûr? demanda Jacques incrédule.

— Absolument, assura Georges. Je le reconnais. Sa photo est passée la semaine dernière dans *L'Echo de Blainville.* »

Soudain, un homme roux, de forte corpulence, fit son entrée dans le stand. Il paraissait de bien mauvaise humeur.

« Ils les ont placés juste à côté de nous! annonça-t-il fort mécontent. Quel scandale!

— N'exagère pas, Bob! Les numéros de stands n'ont-ils pas été tirés au sort? demanda Curtis sans relever les yeux de son journal.

— Un tirage au sort truqué! » riposta sèchement le rouquin.

A cet instant, Bob aperçut les Sept plantés devant lui, en train de suivre sa conversation.

« Vous n'avez rien à faire ici, vous autres! Allez, déguerpissez! »

Colin lui répondit par un grand salut ironique puis entraîna ses camarades à sa suite.

« Pas sympathique, le bonhomme! siffla Pierre entre ses dents.

— Et vous avez remarqué, continua Babette, Curtis n'a pas bougé d'un poil.

— Voilà!... » s'écria brusquement Pam.

La fillette s'était arrêtée stupéfaite. A moins de dix mètres d'elle, superbe dans sa combinaison bleu ciel, « rayonnait » Michel Létang!

« Qu'il est beau, constata Babette, encore plus beau que sur les photos de magazines. »

M. Lemercier parlait avec lui. Aux côtés des deux hommes se tenait une jeune fille ravissante.

« C'est sa fiancée, annonça Georges. On dit qu'il vont se marier l'été prochain.

— Chaud devant! Chaud devant! » claironna une voix joviale tout près d'eux.

Les Sept se retournèrent puis s'écartèrent précipitamment.

Un homme en salopette bleu clair voulait passer. Il poussait devant lui un lourd chariot chargés d'outils et de pièces de rechange.

« Au lieu de me regarder avec ces yeux ronds, vous feriez mieux de me donner un coup de main! dit-il en souriant de toutes ses dents. Allez, hop! attrapez-moi ça! »

Et c'est ainsi que les Sept entrèrent dans le stand de Michel Létang en compagnie de Jeannot, son sympathique mécanicien.

Peu après, Michel les rejoignit et ce furent les présentations.

« Michel Létang. Le Clan des Sept. Le Clan

des Sept. Michel Létang », plaisanta Jeannot en
faisant mine de s'embrouiller.

Lorsque le jeune coureur lui serra la main,
Pam rougit de plaisir. Puis ce fut au tour de
Mariane, sa fiancée, de saluer chacun des
enfants. Et, avant qu'ils ne regagnent Blainville
pour le déjeuner, Michel Létang tint à offrir une
tournée d'orangeade au Clan des Sept.

*
* *

Les essais commencèrent véritablement
l'après-midi.

Quand les Sept revinrent sur le circuit, les
haut-parleurs comptaient les secondes, donnaient les départs, annonçaient les voitures...

« La Lotus 2000, au départ! La Lotus 2000, au
départ! Attention, le chronomètre va partir! Dix,
neuf, huit, sept, six, cinq... »

Les moteurs ronflaient de toutes parts; les
mécaniciens couraient dans tous les azimuts.

« N'empruntez pas la piste! Mesdames, messieurs, n'empruntez pas la piste... Cette impru-
dence peut être mortelle! »

Dans ce beau tohu-bohu, les Sept se frayèrent
un chemin. Les tribunes étaient ouvertes gratui-
tement au public pendant les essais. Ils s'y réfu-
gièrent. Assis au dernier rang des gradins, ils
pouvaient tout voir : l'esplanade du départ
s'étendait à leurs pieds.

« Comme c'est amusant, constata Jacques. Chaque équipe a une couleur différente. D'ici, on peut les repérer sans difficulté.

— J'aperçois Michel, annonça Pam. Sa voiture bleu clair, sa combinaison bleu clair, celle de Jeannot et toutes les chemises des accompagnateurs de l'équipe française bleu clair.

— Et juste devant nous, l'équipe rouge, celle de Curtis, dit-il en la désignant.

— Mais... mais... je ne rêve pas, s'étonna Jacques.

— Non, tu ne rêves pas! continua Pierre. C'est bien ta sœur et son insupportable copine Nicole qui sont en train de parler avec Bob, le mécano de Curtis.

— Qui se ressemble, s'assemble! ne put s'empêcher de lancer Colin.

— Curtis, lui, ne les a même pas remarquées, constata Babette. On dirait qu'il est ailleurs, comme s'il ne participait pas à la course...

— Ah, regardez! C'est Pedro Gonzalez qui va prendre le départ! » s'écria Pam enjouée.

D'un bond, Jeannette se leva et fit un signe au coureur pour l'encourager.

Depuis sa voiture, l'homme en blanc l'aperçut et lui répondit par un sourire éclatant.

« ... Sept, six, cinq, quatre, trois, deux, un... »

Le drapeau quadrillé noir et blanc s'abattit. Pedro fonça. Il disparut au premier tournant dans un nuage de poussière.

Puis ce fut au tour de Michel. Très populaire, le jeune coureur fut salué par ses admirateurs. Dans les tribunes, les Sept ne furent pas les derniers à taper dans leurs mains et à crier le nom de leur nouvel ami.

Au dernier moment, alors que le chrono égrénait déjà ses secondes, Mariane donna à Michel un baiser. Pam, toute contractée par la peur, s'imagina un instant être, elle aussi, la fiancée d'un coureur...

« Oh, quelle horreur... murmura-t-elle à voix basse.

— Qu'est-ce que tu racontes? lui demanda Babette assise à côté d'elle.

— Rien, rien », répondit Pam, en tortillant entre ses doigts le petit foulard de soie bleu clair qu'elle avait mis cet après-midi-là.

Michel partit en trombe et, comme ses prédécesseurs, disparut au premier virage.

L'Italien Angelo Janini suivit, puis un Portugais et un Brésilien. Ce fut Jimmy Curtis qui boucla la première série des essais.

**
*

Le lendemain et le surlendemain se succédèrent identiques. Les matinées furent consacrées uniquement aux réglages des moteurs et les après-midi aux essais proprement dits.

Les quatre garçons surveillaient de très près

MICHEL PARTIT EN TROMBE ...

les performances des coureurs. Pour cela, Pierre avait emprunté à son père sa grosse montre chronomètre. Posté à l'arrivée avec Jacques, il correspondait par walkie-talkie avec Georges et Colin restés au départ. Colin répétait dans l'appareil radio le décompte avant le coup de drapeau.

« Sept, six, cinq, quatre, trois... »

En haut dans les tribunes au pied du château, Pierre recevait le message :

« Deux, un. Partez! »

Il déclenchait alors sa montre. Deux minutes plus tard, environ, il entendait avec Jacques le bolide qui négociait les derniers lacets de la route. Tous deux ne tardaient pas à le voir apparaître au bout de la longue ligne droite, lancé à plus de cent quatre-vingts à l'heure, comme le leur avait confié M. Lemercier.

« Stop! » criait Jacques au moment où la voiture franchissait la ligne d'arrivée, juste devant eux, à leurs pieds.

« 3 minutes 15! 3 minutes 23 ou 26! » annonçait Pierre suivant les concurrents.

En bas, à l'arrivée, Georges et Colin notaient précieusement le temps sur un calepin, en face du nom de chaque coureur et de la marque de sa voiture.

C'est ainsi que les quatre garçons passèrent les après-midi du mercredi et du jeudi.

Les filles, elles, préférèrent se balader au

hasard des stands pour observer les coulisses de la course. Elles passèrent une grande partie du jeudi en compagnie de Mariane, la fiancée de Michel Létang.

« Je suis vraiment ravie de discuter avec vous, leur assura-t-elle. Lorsque Michel court, je n'aime pas rester seule. Je suis folle d'inquiétude avant chaque départ. Je me torture en pensant qu'il ne franchira peut-être jamais la ligne d'arrivée... »

La jeune fille était tout à fait charmante, elle se forçait à oublier son émotion. Elle ne refusa jamais de répondre aux questions des trois filles. Elle leur fit même visiter les installations réservées aux officiels. Puis, tandis que Michel courait, elles s'installèrent à l'abri de la foule, dans son stand.

« Est-ce que Jeannot travaille toujours avec lui? demanda Babette.

— Toujours, répondit Mariane. Depuis plus de quatre ans maintenant.

— Mais?... il le suit partout, même lorsqu'il court en Amérique ou en Australie? questionna Babette étonnée.

— Oui, partout, affirma la jeune fille. Vous savez, le rôle du mécanicien est très important. C'est lui qui met le moteur au point, qui le règle pour qu'il fournisse le meilleur rendement. Il doit savoir aussi comment il sera utilisé et c'est en fonction de la personnalité même du coureur

qu'il fait ses réglages. Vous comprenez maintenant pourquoi Michel et Jeannot forment une équipe indissociable!

— On peut dire alors, se hasarda Pam, que, lorsqu'un coureur franchit le premier la ligne d'arrivée, son mécanicien remporte aussi la victoire.

— Absolument! » assura Mariane.

A cet instant, dans le stand voisin, celui de l'Américain, une querelle éclata.

« La clef de 8 est à moi, hurlait Bob. Tu l'as volée, sale Français. Rends-la-moi ou je t'écrase la figure avec mon poing! »

Mariane sursauta.

« C'est une erreur, c'est une erreur! protestait Jeannot. La voilà ta clef! Quelle histoire! Ton stand est voisin du mien, elle a dû rouler...

— Menteur, tu trouves toujours de bons prétextes pour tricher... Tiens, attrape ça! »

Au cri de Jeannot, Mariane bondit. Comme une folle, elle quitta le stand. Les trois filles lui emboîtèrent le pas.

Devant elles, les deux hommes en étaient venus aux mains. Bob martelait le pauvre Jeannot de ses poings!

« Assez! lança Mariane en s'interposant. C'est vraiment ridicule, pour une simple clef! »

Tout honteux d'avoir été interrompu par la jeune fille, Bob recula de deux pas. Jeannot s'excusa de sa méprise et tourna les talons.

Mariane était furieuse. Elle avisa Curtis au fond de son stand; celui-ci n'avait pas bougé. Il la regardait avec un grand sourire.

« Merci, mademoiselle », lui dit-il avec un petit salut de tête.

Mariane le toisa d'un regard noir puis regagna le stand de Michel.

Quelques minutes plus tard, lorsque les trois filles commencèrent à lui poser des questions, elle ne voulut rien répondre...

∴

« Tiens, le stand de Michel est fermé, constata Colin en arrivant sur le circuit avec ses camarades le vendredi matin.

— Il a bien le droit de faire la grasse matinée, non? s'indigna Pam, toujours prête à défendre son idole.

— Il était le premier sur place les autres jours, déclara Georges. Ce n'est pas dans ses habitudes d'être en retard.

— Surtout quand il s'agit de franchir la ligne d'arrivée! » fit remarquer malicieusement Jeannette.

Les autres concurrents étaient présents. Ils s'affairaient déjà avec leurs mécanos au-dessus des moteurs.

« Salut, les petits gars! leur lança Pedro Gonzalez quand ils passèrent près de son boxe.

— Quand est-ce que vous prenez le départ? leur demanda Juan le mécanicien. Vous allez vous y mettre vous aussi? questionna-t-il en faisant semblant de tourner le volant.

— Nous resterons spectateurs, répondit Pam. Nous ne sommes pas complètement... »

Elle s'arrêta net au milieu de sa phrase, réalisant soudain ce qu'elle allait dire.

« ... Complètement fous! enchaîna Gonzalez. Tu as raison. Il faut être fou pour faire ce métier. Reste dans les tribunes et applaudis fort le vainqueur, car il aura risqué sa vie... »

Puis il fit un pied de nez aux enfants, comme pour se moquer de ce qu'il venait de dire, pour dédramatiser ses propos, pour conjurer le sort en quelque sorte...

Pam lui sourit, douloureusement; elle venait de comprendre que les coureurs aussi avaient peur.

Les enfants s'éloignèrent. Un peu plus loin, ils observèrent l'Italien Angelo Janini. C'était un garçon brun, peu souriant, fort sérieux. On le sentait concentré à tout instant sur la course. Aucun des Sept ne lui avait jamais parlé. Comme les autres jours, ils ne s'approchèrent pas de son stand, respectant le silence dont il avait besoin pour se préparer.

« Michel n'est toujours pas là, remarqua Jacques. Il est dix heures passées... Je n'ai pas vu Jeannot, non plus...

« — Regarde, voilà ta sœur et Nicole, coupa Georges. Elles ont l'air de s'être fait adopter par Bob, le mécano de Curtis. »

Mine de rien, les Sept s'approchèrent.

Les deux pestes étaient en grande discussion.

« Dis-moi, Bob? demandait Nicole. Comment on fait pour trafiquer une chaîne de bicyclette?

— Oui, pour qu'elle casse après quelques coups de pédale? enchaîna Suzy.

— Les vipères! fulmina Jacques. Avec ce type, elles forment une belle équipe.

— Voilà le Clan des Sept Chaussettes! annonça la stupide Nicole lorsqu'elle aperçut les enfants qui passaient.

— Alors? Pas trop déçus? demanda perfidement Suzy. Qui aurait cru à un pareil coup? »

Derrière les deux chipies, Bob n'arrêtait pas de bâiller.

« Ma pauvre Pam, continua Nicole, tu peux poser ton petit foulard. Le bleu clair n'est plus une couleur à défendre!

— Qu'est-ce que vous insinuez toutes les deux? intervint Pierre. Parlez donc franchement au lieu de faire des sous-entendus qui ne font rire personne.

— Nous, ça nous amuse! rétorqua Suzy en prenant un air idiot.

— Tu vas t'expliquer à la fin, cria Jacques, sinon je te flanque une paire de claques.

— Tout doux, mon petit bonhomme! inter-

vint Bob en s'avançant vers les Sept. Si tu n'es pas au courant de la nouvelle, ce n'est pas la faute de Suzy et Nicole.

— Mais quelle nouvelle? implora Colin.

— Michel Létang a abandonné! Vraiment, vous ne le saviez pas? demanda-t-il d'une voix fausse.

— Abandonné? répéta Pam qui en resta bouche bée.

— Abandonné! reprit tout souriant le mécano américain. Parce qu'il a eu peur. Hier, Jimmy a fait le meilleur temps des essais. Il a eu peur d'être ridicule et de ne pas remporter le grand prix. Ah! Ah! Ah! »

Et il éclata de rire. A ses côtés, les deux pestes reprirent en écho :

« Ah! Ah! Ah! Il a eu peur, il s'est dégonflé! Ah! Ah! Ah! »

Alors, sans prendre le temps de commenter la nouvelle, les Sept enfourchèrent leurs vélos et descendirent en trombe jusqu'à Blainville.

**
*

Moins d'un quart d'heure plus tard, ils gravissaient quatre à quatre les escaliers du *Grand Hôtel*. Ils passèrent les portes en courant sous le regard ahuri du concierge.

« Hé, les enfants, où allez-vous comme ça? Ce

n'est pas un moulin ici! leur cria le brave homme dépassé.

— Laissez, c'est pour moi », l'interrompit M. Lemercier qui les avait vus venir.

L'organisateur était tout pâle. Il s'avançait vers les enfants, un télégramme à la main.

« Vous venez aux nouvelles? » commença-t-il, d'une voix lugubre.

Pierre acquiesça sans détacher ses yeux de la petite feuille bleue que M. Lemercier tortillait nerveusement entre ses doigts.

« C'est Michel? demanda-t-il timidement.

— C'est lui, répondit l'organisateur. Tenez, lisez! »

Pierre s'empara du télégramme, le déplia et lut à haute voix pour ses camarades qui faisaient cercle autour de lui :

« Renonce à Meauvert. Ne courrai plus jamais. Adieu. Signé : Michel Létang. »

Les Sept restèrent silencieux, stupéfaits.

D'une main tremblante, Pierre rendit le télégramme à M. Lemercier.

« Vous vous rendez compte? éclata soudain celui-ci. Faire ça l'avant-veille d'un Grand Prix. Toute la publicité de la course a été faite sur son nom; c'était lui le grand favori... »

De rage, il jeta le télégramme en boule dans une corbeille et se dirigea à grands pas vers la sortie.

« C'est cette fille qui lui a tourné la tête! criait-il. Je suis sûr que c'est cette fille... »

Dans sa colère, il avait oublié les Sept; il parlait tout seul, pour lui-même. Les enfants le laissèrent continuer son chemin. Ils le suivirent des yeux jusqu'au coin de la rue : il disparut en levant un bras menaçant!

*

« Je n'y crois pas! déclara Colin, sûr de lui. Ce télégramme ne tourne pas rond! »

Le garçon arpentait la remise, fougueux, décidé. Autour de lui, ses camarades étaient assis, désespérés, encore sous le coup de l'incroyable nouvelle.

Seul Moustique, qui ne comprenait pas ce qui venait d'arriver, était d'humeur joyeuse. L'épagneul allait et venait de l'un à l'autre en quête de caresses. Mais l'heure n'était pas à l'attendrissement, il fallait joindre Michel, il fallait l'entendre dire lui-même, il fallait...

« Il faut le voir! décréta Pierre.

— Mais il n'est certainement plus à Blainville, répliqua Babette. S'il a envoyé un télégramme, c'est qu'il est loin.

— Nous l'appellerons au téléphone, s'entêta le chef du Clan.

— Crois-tu vraiment qu'il soit chez lui? demanda Georges.

— Non, tu as raison, concéda Pierre. Je suppose qu'il s'est retiré dans un coin tranquille en attendant que les esprits échauffés s'apaisent...

— Il n'a pas abandonné, je vous dis qu'il n'a pas abandonné, reprit Colin en montant la voix. C'est impossible! Hier encore, il nous disait que toute sa vie était consacrée à la course automobile. Michel n'est pas un garçon à changer d'avis comme de chemise. Vous rendez-vous compte de la ténacité, de la volonté qu'il lui a fallu pour se hisser aux tout premiers rangs mondiaux? Croyez-vous qu'il va laisser tomber ce qu'il a eu tant de peine à gagner? Qu'y aurait-il de plus beau pour lui dans la vie? Je vous demande un peu?...

— Mariane », répondit calmement Pam.

D'une voix douce elle s'expliqua alors :

« Mariane est sa fiancée, Mariane est la femme qu'il aime. Ne vaut-elle pas à elle seule tous les grands prix du monde? »

Colin, s'assit, vaincu.

« ... Si on voit les choses sous cet angle-là, moi je... »

Il ne termina pas sa phrase, furieux de penser que l'hypothèse de Pam pût être la vérité.

« Avez-vous imaginé la vie d'une femme de coureur? continua la fillette. C'est la peur, la terreur, l'angoisse de tous les instants. A chaque départ, Mariane se demande si elle reverra Michel vivant. Peut-être le retrouvera-t-elle blessé, souffrant, agonisant, ou pire encore, cloué à jamais dans un fauteuil roulant! »

Un silence profond s'installa dans la remise. Moustique se tenait tranquille, comme s'il avait compris l'émouvant discours.

« A-t-on le droit d'imposer ce calvaire à la femme qu'on aime? » conclut Pam, les larmes aux yeux.

Colin trépignait. Il se leva d'un bond.

« Bien joli, tout ça! Mais c'est du roman-feuilleton à 2 francs 50! »

Pam étouffa un cri de stupeur.

« Je ne dis pas que Mariane ne tient pas à Michel, je ne dis pas que Michel ne tient pas à Mariane, reprit Colin en s'adressant tout parti-

culièrement à Pam. Mais comment expliques-tu qu'hier il était décidé à remporter la course de Meauvert et qu'aujourd'hui, pftt!, il disparaît? Qu'est-ce que l'amour a à voir là-dedans? On n'abandonne pas une course pendant les essais, ça ne rime à rien!

— C'est vrai, approuva Georges. Surtout que Mariane était là toute la journée. Rien dans son attitude ne permettait...

— Elle nous a dit qu'elle s'inquiétait continuellement, coupa Jeannette.

— Et alors, qu'est-ce que ça prouve? demanda Colin. Quoi de plus normal pour une fiancée que de se soucier du sort de son futur mari! Non, je vous le répète, cet abandon est louche, il ne correspond pas à Michel!

— Entendu, admit Pierre. Il y a un doute.

— Faisons une enquête, proposa Jacques. Nous ne savons ni quand, ni comment il est parti!

— Peut-être que Jeannot pourra nous aiguiller, suggéra Babette.

— M. Lemercier en sait sûrement plus long qu'il ne veut bien le dire », supposa Jeannette.

La discussion dura encore longtemps. Un plan d'action fut élaboré. Colin bouillait d'impatience.

« Nous avons déjà perdu deux heures, fit-il remarquer. Dépêchons-nous! »

Et il ouvrit en grand la porte de la remise.

« En route, Moustique! ordonna Pierre à l'épagneul. Là où nous allons, il n'y a pas de bolides. »

Les Sept sortirent dans le jardin et retrouvèrent leurs bicyclettes appuyées contre le mur de clôture. Personne, cet après-midi-là, ne les avait attachées les unes aux autres.

« Je parie que les deux pestes sont encore en train de comploter avec Bob », songea Jacques furieux.

Comme il avait raison!...

*
* *

Le concierge de l'hôtel fronça les sourcils, ouvrit la bouche pour protester.

« Nous sommes des amis de M. Lemercier, souvenez-vous », lui dit Pierre le plus aimablement du monde en franchissant la porte de l'établissement.

Le concierge ravala sa grimace et les laissa passer.

« Vite, les filles, ordonna le chef du Clan à voix basse. Objectif : la corbeille à papiers! Et vous, Colin et Georges, fouinez sans avoir l'air de rien! Nous, avec Jacques, on s'occupe de Jeannot. »

Sans attendre, ils se séparèrent.

Pierre et Jacques s'approchèrent aussitôt de l'ascenseur.

« La chambre de Jeannot, le mécanicien de Michel Létang? demandèrent-ils au jeune liftier.

— Troisième étage, chambre 305 », déclara le jeune homme.

D'un geste sec, il tira sur la grille métallique. Les deux garçons pénétrèrent derrière lui dans la cage et, dix secondes plus tard, ils débouchaient sur un long couloir feutré, éclairé par une succession d'appliques en forme de bougies, aux murs tendus d'étoffe, aux parquets recouverts d'épais tapis rouges.

« Sur votre gauche, et ensuite à droite », leur cria le liftier avant de disparaître dans le puits de l'ascenseur.

Pierre et Jacques suivirent le chemin indiqué. Quel silence! Ils n'entendaient même pas le bruit de leurs pas.

« 305. Nous y sommes », annonça le chef du Clan.

Il frappa.

Trois secondes, dix secondes, vingt secondes s'écoulèrent sans réponse.

Pierre frappa à nouveau.

« Qui est là? demanda au loin la voix de Jeannot.

— Le Clan des Sept. Nous voudrions vous parler, demanda Jacques tout contre le battant de la porte.

— Je ne veux pas être dérangé, répondit toujours aussi faiblement Jeannot.

— Seulement une minute, précisa Pierre.

— Pas question, je reste au lit, déclara le mécanicien.

— Mais c'est au sujet de Michel, avoua Jacques. Nous aimerions comprendre...

— Il n'y a rien à comprendre, laissez-moi en paix! répliqua sèchement le mécano.

— S'il vous plaît, insista Pierre.

— Rien qu'une minute », répéta Jacques.

Mais ils eurent beau implorer, Jeannot se tut. Après plusieurs tentatives, ils abandonnèrent.

Alors qu'ils redescendaient par le grand escalier, ils retrouvèrent Georges et Colin sur le palier du premier étage.

« Nous avons fait chou blanc, leur avoua Pierre dépité.

— Jeannot ne veut rien entendre, expliqua Jacques. Il est désespéré. Sait-il seulement quelque chose?

— Nous, on sait, annonça Colin lugubre.

— Quoi? Comment? demanda Pierre plein de curiosité.

— Par la femme de chambre, commença Georges. Elle était de service hier soir et elle a tout vu.

— Michel et sa fiancée se sont disputés très fort, continua Colin. Cela a duré au moins un quart d'heure, puis ils ont quitté l'hôtel précipitamment.

— Pam avait donc raison, reconnut Jacques.

Mariane lui aura demandé de choisir entre elle et sa vie de pilote de course...

— Et Michel a cédé, enchaîna Pierre.

— Je suis affreusement déçu », avoua Colin.

Tristes, les garçons regagnèrent le hall central. Et ce qu'ils virent leur fit oublier leur déception.

Moustique, l'épagneul du Clan, un chien si doux, si calme d'habitude, se roulait par terre, battait des pattes et de la queue, tournait sur lui-même, bondissait comme un diable !

Pam, Babette et Jeannette essayaient de le calmer. Mais en vain. Et ce qui devait arriver arriva !

Patatrac ! La corbeille à papiers, placée juste au pied du comptoir du concierge, se renversa ! Tout son contenu se trouva répandu !

Les garçons se précipitèrent, le concierge quitta son tabouret, les filles poussaient des cris, ramassaient les papiers, maîtrisaient Moustique.

« Allez ouste ! Faites-moi sortir ce chien enragé ! hurlait le concierge. Ce n'est pas une ménagerie, ici !

— Pardon, monsieur, pardon, répétait Jeannette désolée.

— Vous savez, ça ne lui arrive jamais, c'est bien la première fois... expliquait Babette.

— Voilà, tout est rentré dans l'ordre. Les

papiers sont ramassés, déclara Pam. Excusez-
nous, monsieur, excusez-nous!... »

Pierre s'était emparé de Moustique et l'entraî-
nait dehors.

Pam, Georges, Jacques, Colin, Babette et Jeannette suivirent dans la foulée.

Le concierge poussa un soupir en les voyant
disparaître.

« Je l'ai! » clama Pam au pied du perron.

Elle brandissait une petite boule de papier
bleu chiffonné : le télégramme!

« Bravo! s'écria Colin. Tu es un as!

— C'est Moustique qu'il faut remercier, dit
Pam. Sans son numéro de chien enragé, nous n'y
serions jamais arrivés.

— Le concierge épiait tous nos gestes, expliqua Babette. Il n'y avait pas moyen d'atteindre
la corbeille à papiers.

— Donne-le vite! » demanda Pierre en prenant le télégramme.

Il le défroissa grossièrement sur sa cuisse
avec le plat de sa main.

« Renonce à Meauvert. Ne courrai plus
jamais. Adieu. Michel, lut-il rapidement.

— On connaît déjà, commenta Jacques
pressé. Regarde plutôt d'où il a été expédié.

— Moutiers. 9 heures 15, annonça le chef du
Clan.

— Il l'a envoyé ce matin juste après avoir
quitté Blainville, conclut Babette.

— Il s'est disputé hier soir avec Mariane, il a réfléchi toute la nuit et ce matin il a pris sa décision, récapitula Colin.

— Il s'est disputé avec Mariane? Qu'est-ce que tu racontes? protesta Pam.

— C'est ce que nous venons d'apprendre de la bouche de la femme de chambre, expliqua Georges.

— Ah bon », admit la fillette contrariée.

Pour elle, il était tout à fait impossible qu'il y eût le moindre nuage entre les deux fiancés.

Brusquement, Moustique que Pierre tenait toujours en laisse se mit à gronder.

« Un chat, il ne manquait plus que ça! » s'exclama Jeannette en désignant le petit animal tigré qui était en arrêt à quelques mètres du groupe.

L'épagneul tirait furieusement sur son collier en aboyant.

« Du calme, mon chien! Du calme! protestait Pierre.

— Et vous, les filles, pendant que nous étions dans les étages, vous n'avez rien entendu, ni vu qui puisse nous être utile? se renseigna Colin.

— Non, rien, répondit Pam. Ah, si! se ravisa-t-elle. M. Lemercier a téléphoné à tous les numéros où il pensait joindre Michel.

— Et alors? demanda Jacques, pressé d'en savoir plus.

— Aucun n'a répondu, déclara Babette.

— Bizarre, bizarre! marmonna Colin. Ce télégramme me paraît toujours louche. Et la dispute entre Michel et Mariane ne m'aide pas à y voir plus... »

Le garçon ne termina pas sa phrase : Moustique venait de s'échapper!

Il s'était lancé à fond de train derrière le chat.

« Moustique! Reviens immédiatement! » hurlait Pierre aux trousses de l'épagneul.

Jacques lui emboîta le pas, puis Colin, puis Georges. Enfin les trois filles, contraintes et forcées, prirent à leur tour leurs jambes à leur cou.

Heureusement la poursuite ne dura pas. Le chat se réfugia dans le garage en sous-sol du *Grand Hôtel*. Là, Moustique perdit sa trace et s'arrêta.

C'est Jacques qui le récupéra aplati sous une voiture, tout honteux de s'être fait posséder par plus petit que lui, tout craintif de la correction qui l'attendait!

Tandis que les remontrances pleuvaient déjà sur le pauvre chien, Pierre poussa un cri de surprise.

« Hé, vous ne voyez rien là-bas! s'exclama-t-il en indiquant le fond du garage.

— La voiture de Michel, il n'y a aucun doute! exulta Colin. J'avais raison, il n'est pas parti! »

D'un même élan les Sept se précipitèrent. C'était bien la voiture de Michel Létang, bleu

clair, avec son étrange siège moulé en plastique noir.

Pam remarqua, encastré dans le tableau de bord, un petit cadre rond qui contenait une photo de Mariane. Mariane souriait de toutes ses dents.

« Ils n'ont pas pu se disputer, c'est pas vrai, déclara-t-elle, tout à fait sûre de ce qu'elle avançait.

— S'il n'est pas parti, c'est qu'il se cache, raisonna Jacques.

— Il n'a aucune raison de se cacher, protesta Babette. Tu ne vas tout de même pas croire qu'il a peur de Jimmy Curtis?...

— Il ne se cache pas, ON L'A CACHÉ! décréta Colin.

— Explication? réclama Jeannette, dépassée.

— Je veux dire qu'on l'a enlevé, tout simplement.

— Tu lis un peu trop de romans policiers, mon petit vieux, commenta Pierre avec un sourire en coin.

— C'est vrai, ça, je ne vois pas pourquoi on l'aurait kidnappé, approuva Georges. S'il s'agit d'une rivalité avec un autre coureur, les règlements de compte de ce genre se font sur le circuit pendant la course.

— Il y a peut-être une autre raison, s'entêta Colin. Je ne sais pas moi... l'argent!

— Michel est très jeune, lui rappela Babette.

Il n'a pas des années et des années de carrière
derrière lui. Il n'est donc certainement pas mil-
liardaire.

— Ou alors... commença Jacques.

— Ou alors? lui demanda Pierre.

— Ou alors, Mariane l'a quitté; il ne s'y attendait pas, ça a été un choc terrible et, de déses-
poir, il a abandonné la course automobile.

— Possible, admit Georges.

— Rocambolesque! trancha Colin sarcas-
tique.

— Il faut nous en assurer, déclara Pierre. Je
pars pour Moutiers recueillir les indiscrétions de
la demoiselle des Postes; Jacques, tu viens avec
moi. Les filles, retournez faire du charme à
Jeannot, peut-être qu'à vous il ouvrira sa porte.
Colin et Georges, je vous propose de rôder sur le
circuit en ouvrant grand vos yeux et vos oreilles.
Rendez-vous à six heures à la remise. »

Les Sept ressortirent du garage et se quittèrent aussitôt. Pierre décida d'emmener
Moustique avec lui, une course de plusieurs kilo-
mètres calmerait certainement ses instincts de
fuite!

*
**

L'après-midi fut bien employé. Chacun s'ac-
quitta au mieux de sa mission.

Six heures sonnaient au clocher de la petite

église de Blainville lorsque Pam, Babette et Jeannette rejoignirent les garçons dans la remise.

« Ouf! Je n'en peux plus, soupira Jeannette en s'asseyant sur l'un des bancs.

— Jeannot n'a jamais voulu nous recevoir, raconta Babette. Il nous a dit, à travers sa porte, que si Michel avait laissé sa voiture, c'est qu'il était parti par le train. Nous n'avons rien pu obtenir de plus!

— Alors nous sommes passées chez le pâtissier... continua Pam. J'ai mangé trois choux à la crème. »

A ces mots, Moustique releva la tête et se lécha les babines.

« Et moi, deux éclairs au chocolat, avoua Jeannette.

— Bravo! commenta Pierre. Comme enquête, on fait mieux! »

Babette haussa les épaules, signifiant qu'elles n'y pouvaient rien si Jeannot était resté terré dans sa chambre.

Pierre se tourna vers Georges et Colin.

« Et vous? J'espère que votre rapport est plus brillant!

— Rien d'exceptionnel, annonça Georges. Les essais continuent. Les temps s'améliorent à chaque série, à mesure que les pilotes se familiarisent avec le circuit. A part ça...

— A part ça, Jimmy Curtis est le grand favori,

Depuis l'abandon de Michel, tout le monde s'attend à sa victoire. Et voilà, c'est tout, nous ne sommes pas plus avancés que ce matin.

— Nous avons aussi rencontré les deux pestes, se souvint Georges. Elles sont maintenant très liées avec Bob. Elles le tutoient même. Quand nous sommes arrivés, elles lui donnaient des détails sur la région. Bob s'intéresse aux vieilles pierres.

— Les passe-temps de Bob ne nous regardent pas, trancha Pierre qui détestait le mécano américain.

— Eh bien, nous, on a du nouveau! claironna Jacques, qui, depuis le début de la réunion, n'y tenait plus de révéler ce qu'il savait.

— Ce n'est pas Michel qui a expédié le télégramme ce matin à Moutiers, annonça Pierre.

— Quoi? s'exclama Pam en bondissant sur ses jambes.

— La postière ne voulait rien nous dire d'abord. « Secret professionnel! Secret profes- « sionnel! » Voilà comment elle répondait à nos questions. Moustique commençait à gronder et lui montrait les dents.

— Je lui ai mis le télégramme sous le nez, expliqua Jacques, et je lui ai demandé si l'expéditeur était un homme jeune, de vingt ans environ, brun, etc.

— Elle nous a tout de suite dissuadés, poursuivit Pierre. « Non, ce n'était pas un homme de

« vingt ans, il n'était pas brun... » Elle en était absolument certaine. Mais c'est tout ce qu'elle a consenti à nous déclarer.

— Depuis ce matin, je vous le répète, ce télégramme sent le louche, dit Colin.

— Michel a donc été bel et bien enlevé... conclut Georges.

— C'est horrible, soupira Babette. Malheureusement, nous voilà guère plus avancés. On ne sait pas qui a envoyé ce faux télégramme et nous n'avons pas la moindre idée de l'endroit où peut être séquestré Michel.

— Il faut prévenir la police, proposa Jeannette.

— Certainement pas, décréta Pierre. Tant que Michel n'est pas en sécurité, on peut toujours craindre des représailles.

— Des quoi? demanda Pam qui ne connaissait pas ce mot.

— Des représailles, répéta Pierre. Une vengeance si tu préfères. Imagine que ce sale type... ou ces sales types apprennent que la police est sur leurs traces, s'ils se sentent traqués, ils peuvent très bien riposter en martyrisant Michel ou en le tuant même... »

Un frisson d'angoisse parcourut les Sept. Pam serra convulsivement le nœud de son petit foulard bleu autour de son cou. Elle pensa à Mariane, revit son sourire éclatant sur la photo

du tableau de bord de la voiture de course. Non, il ne fallait pas prévenir la police!

Bien au contraire. Les Sept devaient agir avec prudence, plus qu'ils ne l'avaient jamais fait. La vie d'un homme était peut-être entre leurs mains et cet homme était leur ami!

*
**

Le samedi matin, dès neuf heures, les filles frappaient à la porte de Jeannot.

« C'est encore nous! annonça Babette à travers le battant. Ouvrez, c'est très important. »

Jeannot ne bougea pas.

« La vie de Michel en dépend, supplia Jeannette.

— Il a été enlevé », révéla Pam.

A ces mots, le miracle s'accomplit! La clef tourna dans la serrure et Jeannot apparut.

« Entrez », proposa-t-il aux trois filles.

Il les fit asseoir sur des fauteuils dans un coin de la chambre et il prit place en face d'elles sur le bord de son lit. Il était pâle, les traits tirés : visiblement il n'avait pas dormi de la nuit.

« Michel n'a pas pu être enlevé. Qu'est-ce que vous racontez là? demanda-t-il d'une voix éteinte. Avez-vous essayé d'appeler chez lui?

— Il n'y est pas, assura Jeannette. Hier, M. Lemercier a essayé de le joindre partout où il pensait le trouver, mais ça n'a rien donné.

— Et Mariane? A-t-il appelé Mariane?

— Je ne crois pas, répondit Pam. Je me trouvais juste à côté de la cabine téléphonique, je ne l'ai pas entendu lui parler.

— Il n'a pas son numéro, c'est vrai, réalisa Jeannot. M. Lemercier est un officiel, il n'a que les coordonnées des coureurs.

— Si nous l'appelions maintenant? » proposa Babette.

Jeannot accepta sans difficulté. Aussitôt il composa le numéro de la jeune fille.

« Allô, Mariane? Ici, c'est Jeannot.

— Il n'est rien arrivé à Michel? questionna-t-elle affolée à l'autre bout du fil.

— Non, non. Tout va bien, assura le mécano.

— C'est lui qui vous a demandé d'appeler, n'est-ce pas?

— Oui, oui...

— J'ai eu tort, je le reconnais. Je suis partie sur un coup de tête. Nous nous sommes chamaillés jusqu'à la gare et nous nous sommes quittés sur le quai sans nous être réconciliés...

— Ce sont des choses qui arrivent et... et qui s'arrangent, dit Jeannot très embarrassé.

— Est-ce que je peux lui parler? demanda-t-elle avec insistance.

— Impossible, il est juste en train de courir.

— Ah, bien, soupira-t-elle. Dites-lui alors que je saute dans le premier train. Je serai ce soir près de lui!

— C'est ça, c'est ça... Il sera fou de joie. A bientôt, Mariane. »

Jeannot raccrocha, bouleversé.

Pam pleurait.

« Je n'ai pas eu le courage de lui dire la vérité, avoua le mécano. Mais ce soir, il le faudra bien...

— Nous l'aurons retrouvé! décréta Babette avec fougue.

— Ne s'est-il pas seulement enfui pour s'isoler pour réfléchir, après cette dispute avec Mariane?... suggéra Jeannot.

— Non, répondit Pam gravement. Sachez que le télégramme reçu hier matin par M. Lemercier n'a pas été envoyé par lui. »

Babette et Jeannette fournirent alors tous les

détails à Jeannot qui dut bien admettre l'horrible réalité.

« Je n'en reviens pas, souffla-t-il encore sous le coup de la nouvelle. Mais qui a bien pu...

— En venant vous voir, nous espérions que vous auriez votre petite idée, avoua Babette, déçue que le mécanicien n'ait pas encore prononcé le nom du coupable.

Jeannot se gratta la tête, leva les yeux au plafond...

« J'ai beau réfléchir... à moins que... mais non, c'est impossible! »

∴

Sur le circuit, les quatre garçons enquêtaient. Dans le vacarme des moteurs et des voix, ils persistaient, cherchant qui pourrait bien les mettre sur une piste. Parmi la foule qui se pressait autour des voitures, il y avait certainement quelqu'un qui savait, quelqu'un qui leur fournirait un indice, qui leur révélerait un truc, un rien, un mot, à partir de quoi ils pourraient commencer leurs recherches.

Georges et Colin s'étaient frayé un chemin jusqu'à Angelo Janini, le coureur italien. Celui-ci s'apprêtait justement à prendre le départ. Son mécano venait de refermer le lourd capot du moteur et, d'un signe du pouce, lui indiquait que tout était O.K.

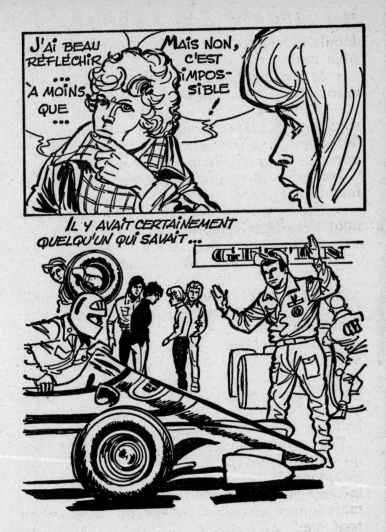

Angelo resserra d'un cran la jugulaire de son casque.

« Sans Michel Létang au départ, l'enjeu de la course est-il aussi important? lui demanda Georges.

— Pourquoi a-t-il abandonné? Avez-vous une idée là-dessus? enchaîna Colin sans lui laisser le temps de répondre à la première question.

— Aucune idée, je ne veux pas en avoir! » annonça l'Italien en se hâtant de faire un signe de croix.

Puis, nerveusement, il déposa un baiser du bout de ses doigts sur la petite photo de la madone qui ornait le tableau de bord.

Le drapeau quadrillé s'abaissa. Le moteur vrombit à éclater. Angelo Janini démarra sans plus d'explication; Georges et Colin restèrent sur leur faim.

« Ne saurait-il pas quelque chose? s'interrogea Georges à haute voix tout en suivant le bolide qui disparaissait au bout de la ligne droite de départ.

— Superstition, déclara Colin. Tous les coureurs sont horriblement superstitieux. Angelo considère certainement l'abandon de Michel comme un signe du mauvais sort.

— Possible », soupira Georges, déçu de n'avoir rien pu obtenir de l'Italien.

A quelques mètres d'eux, dans le stand espagnol, Pierre et Jacques discutaient avec Pedro

Gonzalez, le coureur à la combinaison blanche.

« Croyez-vous vraiment à cet abandon? demandait Pierre.

— La veille encore, il nous parlait de ses projets, de ses contrats; il nous répétait que sans la compétition il n'aurait pas pu vivre. Pensez-vous vraiment qu'il ait pu tout laisser tomber? insista Jacques.

— Je ne sais pas... Je ne vois pas... répondit Gonzalez perplexe. Michel a eu une carrière fulgurante. Pratiquement dès ses débuts, il s'est retrouvé aux premières places. Il s'est fait aimer de toute la profession. Bien sûr, quand il a débuté, il a commis des erreurs, comme chacun d'entre nous, mais...

— Quelles erreurs? coupa Pierre avec curiosité.

— En course, il a gêné d'autres concurrents, expliqua Gonzalez. Mais cela arrive aux plus grands champions et l'on sait très bien que Michel ne l'a pas fait par méchanceté, mais par maladresse. Il a débuté très jeune, vous savez...

— Il faut y aller, Pedro! s'écria Juan en entrant tout essoufflé dans le stand. Ça va être à toi dans une minute. Vite, le moteur tourne déjà.

— Désolé, les enfants! » s'excusa avec un sourire le coureur espagnol.

Il saisit son casque et partit en courant.

Au même moment les haut-parleurs réclamaient sa présence sur la ligne de départ.

Pierre et Jacques quittèrent le stand à leur tour. Parmi les spectateurs, ils retrouvèrent Georges et Colin; ensemble, ils s'approchèrent du box de l'Américain.

« Evidemment, les deux pestes sont là! s'écria Colin en apercevant Suzy et Nicole qui bavardaient avec Bob.

— Que peuvent-ils bien se raconter? Jamais Suzy ne s'est intéressée aux voitures », s'étonna Jacques.

Les quatre garçons s'approchèrent. Bob était en train d'effectuer des réglages sur la voiture de Curtis. Les deux filles se tenaient penchées comme lui au-dessus du moteur. Elles ne les virent donc pas venir.

« Vous avez remarqué? demanda Colin à ses camarades alors qu'ils étaient à moins de deux mètres du stand. Les bottes de Bob, regardez ses bottes!

— Elles sont pleines de boue, constata Pierre.

— Pourtant il n'a pas plu, dit Georges. Où donc a-t-il été traîner? »

Personne n'apporta de réponse à cette question car, à cet instant, Nicole s'aperçut de la présence des garçons.

« Encore à nous épier, ceux-là! » s'exclama-t-elle, folle de rage.

Aussitôt, Suzy réagit.

« Vous allez voir vos têtes, si vous ne décampez pas! »

Elle s'approcha alors de son frère Jacques, en le menaçant de son doigt enduit de cambouis.

« Avance encore et je te maquille! lui cria-t-elle, tordant sa bouche en une horrible grimace.

— Si tu oses, moi je t'étrangle! » rétorqua Jacques sur le même ton hostile.

Jimmy Curtis entra dans le stand à ce moment précis. Il ne put s'empêcher de sourire en voyant la scène. Son entrée fit cesser la dispute. Suzy baissa son doigt et Jacques tourna les talons.

***
***

Dès deux heures, juste après le déjeuner, les Sept se retrouvèrent à la remise. Moustique était présent; il prêtait une oreille attentive aux différents rapports de ses jeunes maîtres.

Les filles racontèrent d'abord leur entrevue avec Jeannot, elles relatèrent le coup de fil avec Mariane et annoncèrent son arrivée pour le soir même. Les garçons relatèrent leurs différentes conversations avec les coureurs puis, avec un malin plaisir, Jacques décrivit la dispute avec les deux pestes.

« Curtis est arrivé à pic! conclut-il avec excitation. Sinon je les aurais transformées en chair à saucisse!

— Tout ça ne nous aide guère à retrouver Michel, déclara Georges d'un ton énergique pour rappeler à ses camarades le sérieux de leur entreprise.

— Jeannot a bien une idée, mais il nous a fait jurer de ne pas l'utiliser, annonça Babette. D'ailleurs, il est certain de se tromper.

— Il craignait plutôt des histoires, précisa Jeannette.

— Qu'est-ce que ça veut dire : « Il craignait « plutôt des histoires »? s'exclama Colin révolté. Pourquoi cette prudence imbécile? La vie d'un homme n'est-elle pas en jeu?

— Qui soupçonne-t-il? demanda Pierre aux trois filles.

— Il nous a fait promettre de ne rien dire, répéta Babette.

— Très bien, admit Colin blanc de colère. Mais s'il arrive quelque chose à Michel, vous l'aurez sur la conscience!

— C'est Bob! lâcha Pam dans un cri.

— Bob! reprit Georges en écho. Il n'est pas commode, d'accord, mais aller imaginer qu'il a pu enlever Michel...

— Et dans quel intérêt? demanda Jacques. Vraiment, je ne vois pas!

— Il est clair que Jeannot déteste Bob et que Bob déteste Jeannot; nous nous en sommes même aperçus, déclara Pierre. Mais qu'est-ce que Bob aurait à reprocher à Michel Létang?

Vraiment cette hypothèse est abracadabrante!

— Tout de même, Bob est un personnage étrange, se souvint Colin en plissant les paupières. Rappelez-vous le premier jour des essais comme il nous a envoyés promener lorsque nous passions devant son stand.

— Le lendemain, ajouta Jeannette, il s'est battu avec Jeannot. Mariane a dû les séparer.

— Depuis deux jours il bâille, continua Colin. Ce matin encore il n'arrêtait pas de se décrocher la mâchoire au-dessus de la voiture de Curtis.

— Et ses bottes couvertes de boue, fit remarquer Jacques. Où est-il allé avec?

— Il a exploré la région, répondit Babette. Il s'intéresse aux vieilles pierres, c'est ce que Georges nous a appris hier.

— Certainement, affirma celui-ci. Suzy et Nicole lui donnaient toutes sortes de détails sur les environs. Les ruines, les fermes fortifiées, les châteaux...

— Alors il joue au touriste la nuit! coupa vivement Colin. Vraiment étrange!

— La nuit? s'étonna Babette.

— Ce matin il s'endormait presque en serrant des écrous, dit Colin. Je peux vous assurer que le bonhomme n'a guère dormi depuis plusieurs jours...

— ... Michel a disparu pendant la nuit! » s'écria soudain Pam estomaquée, l'interrompant.

Un long silence suivit sa remarque. Tous envisagèrent qu'en effet Bob avait bien pu faire le coup!

**
**

Les Sept réagirent au quart de tour. En moins de temps qu'il ne faut pour le dire, ils avaient sauté sur leurs vélos et arpentaient les chemins des environs.

Pam et Jeannette se rendirent aux ruines de la Butte aux Lièvres, une ancienne ferme dont il ne restait que les quatre murs et qu'on disait hantée. Quand elles poussèrent la porte qui, inexplicablement, était encore en place et donnait accès à une grande pièce à ciel ouvert, elles débusquèrent une famille de chouettes aux yeux d'or. Pam hurla de frayeur, mais Jeannette ne perdit pas son sang-froid et examina minutieusement les décombres : malheureusement, elle ne décela aucune trace de Michel Létang.

**
**

Babette et Georges, eux, explorèrent le tunnel de la Combe d'Ancey.

Grâce à leurs lampes torches, ils progressèrent d'une bonne centaine de mètres jusqu'à l'éboulement qui, il y a plus de cinquante ans, avait condamné à jamais cette partie de l'an-

cienne voie ferrée. Ils ne découvrirent rien, eux
non plus, et rebroussèrent chemin pour retrouver le grand jour.

**
*

Pierre et Moustique venaient d'atteindre la
Tour Noire, un sombre édifice datant des Tem-
pliers. Comme au niveau du sol il n'y avait
aucune ouverture permettant d'y pénétrer,
Pierre décida de grimper jusqu'à la première
meurtrière qui prenait jour à plus de quinze
mètres de hauteur. Grâce au lierre qui recou-
vrait les flancs de la tour, il put s'élever sans
trop de risques. Les lianes épaisses et noueuses
enracinées entre les pierres lui fournissaient des
prises solides. Moustique suivait sa montée avec
angoisse. Les yeux écarquillés, la queue battant
comme un métronome, le brave épagneul gémis-
sait, craignant à tout instant de voir son jeune
maître dévisser.

Mais Pierre ne faillit pas. Il parvint au but
qu'il s'était fixé : la première meurtrière. Il y
passa la tête et de toutes ses forces appela.

« Michel! Michel! C'est Pierre Fournier!
Michel es-tu là? Réponds-moi! »

Sa voix se répercuta en cascades à l'intérieur
de la tour, puis se perdit définitivement, laissant
place à un profond silence.

L'intérieur de la tour était sombre comme un

LES LIANES ÉPAISSES ET NOUEUSES, ENRACINÉES ENTRE LES PIERRES, LUI FOURNISSAIENT DES PRISES SOLIDES.

tombeau. Pierre n'y voyait goutte. Il frissonna!

« Michel! Michel! cria-t-il à nouveau sans conviction.

— Mi... i... i... chel, Mi... i... i... chellll! » répondit moqueusement l'écho.

Pierre dut se rendre à l'évidence : la tour était vide!

.

Jacques et Colin avaient déposé leurs bicyclettes près d'un petit pont tout envahi par les ronces, puis ils avaient remonté le lit à sec de l'ancier bras de rivière et, quelque cent mètres plus loin, ils étaient arrivés au pied d'un vieux moulin. La bâtisse disparaissait presque tout entière sous un fouillis de verdure. Seul le toit crevé par les arbres émergeait. Les deux garçons, connaissant déjà les lieux, étaient passés sous l'ancienne roue de bois, là ils avaient déniché derrière un épais buisson d'orties une petite porte qui donnait accès à l'intérieur.

Ils suivaient maintenant un couloir sombre et humide et, tandis qu'ils débouchaient dans la pièce principale du moulin, ils s'entendirent, à leur grande stupéfaction, interpeller.

« Jacques! Colin! Je suis là! »

C'était Michel!

Aussitôt ils le repérèrent au fond de la pièce, accroupi devant la haute cheminée. Ils se préci-

... PUIS ILS AVAIENT REMONTÉ LE LIT À SEC DE L'ANCIEN BRAS DE RIVIÈRE ...

pitèrent. Michel était en train de mordre à belles dents dans un sandwich!

« Ça n'a pas l'air d'aller si mal! s'exclama Colin en faisant allusion au casse-croûte.

— Façon de dire! répondit le jeune homme en découvrant sa cheville solidement entourée par une chaîne fixée à un anneau dans le mur. C'est un coup de Bob! révéla-t-il en frappant rageusement le sol.

— Le gredin! fulmina Jacques.

— Nous allons te tirer de là, assura Colin. Et demain, l'Américain fera une drôle de tête en te voyant arriver sur le circuit.

— Mais comment vous débrouillerez-vous? demanda Michel en tirant sur sa chaîne pour montrer aux deux garçons combien elle était solide.

— Je vais retourner à Blainville, décida Jacques, pour prévenir les autres et pour prendre des outils. Ensuite nous reviendrons tous ensemble te délivrer.

— Moi, je reste avec toi », décréta Colin.

Sans perdre une minute, Jacques repartit. Il suivit le petit couloir humide, repassa sous la roue vermoulue, longea le lit à sec de la rivière, retrouva sa bicyclette sur le pont. Et, tandis qu'il pédalait à toutes jambes vers Blainville, Michel, dans l'obscurité du moulin, se mit à raconter à Colin ce qui s'était passé.

« Jeudi soir, j'ai accompagné Mariane à la

gare. Nous y sommes allés à pied; nous avions besoin de marcher, nous nous étions un peu chamaillés. Je l'ai laissée sur le quai au moment où son train arrivait puis je suis rentré à l'hôtel. Comme il n'était pas très tard, je me suis promené dans Blainville. J'ai traversé le vieux quartier : la place de la Monnaie, la rue des Cariatides, je suis passé devant l'église et ensuite j'ai pris une ruelle sombre pour rejoindre le Grand Boulevard. C'est là qu'il m'a attaqué. Je ne l'ai pas entendu venir, il devait me suivre depuis un bon moment. J'ai seulement senti un coup fantastique sur la tête, ici, juste au-dessus de la nuque... »

Colin tâta le crâne de Michel : une bosse énorme pointait sous les cheveux.

« Et puis je me suis réveillé en pleine forêt, ligoté à un arbre. Le soleil s'est levé, j'ai passé la journée sans pouvoir faire un mouvement. J'ai appelé, appelé, mais là où j'étais, certainement personne ne pouvait m'entendre. Je me demandais qui pouvait bien être mon agresseur. C'est le soir seulement que je l'ai appris. C'était Bob. Il venait me rechercher pour me conduire au moulin. Nous avons marché pendant plus de deux heures puis, une fois ici, il m'a attaché à cet anneau en me laissant un sac de nourriture, puis il est reparti après m'avoir promis de me délivrer le soir même de la course.

— Entre la forêt et le moulin, pourquoi ne

t'es-tu pas échappé? s'étonna Colin intrigué. Bob est un gros lourdaud à côté de toi!

— Il était armé, précisa Michel. Au moindre écart, il était bien décidé à m'abattre.

— Le fou! soupira Colin. Un malade, ce type est un malade! Comment espérait-il s'en tirer puisque tu le connaissais. Il savait bien qu'une fois libre, tu irais le dénoncer.

— Ce qu'il voulait avant tout, c'est m'empê-cher de participer à la course. Après... il m'a dit qu'il se vengerait sur Mariane si je le livrais à la police... mais c'étaient des mots! j'en suis sûr. Son but était de me mettre sur la touche!

— Pourquoi? demanda Colin. Qu'a-t-il à perdre, lui, si tu remportes la victoire?

— Tout, répondit Michel. Un mécanicien par-tage les mêmes espoirs et les mêmes craintes qu'un pilote. Dans une course, sa responsabilité est presque aussi grande que celle du pilote. Tu comprendras donc que les succès et les défaites lui reviennent à part entière.

— D'accord, admit Colin. Mais si tous les mécaniciens cherchaient des noises aux pilotes des équipes concurrentes, il ne se trouverait plus beaucoup de monde sur la ligne de départ.

— C'est vrai, avoua Michel. Mais Bob a quelques raisons de m'en vouloir. Quand j'ai débuté, j'ai commis des maladresses. Un jour, sur un anneau de vitesse, je roulais roue contre roue avec Curtis. Curtis était en tête alors que

moi j'avais deux tours de retard. J'ai voulu le doubler, mais j'étais trop près et je l'ai accroché. Pour éviter la catastrophe, Curtis a dû piler et il est allé s'arrêter dans les bottes de paille. La victoire lui échappait : c'était ma faute! La victoire échappait aussi à Bob, ainsi que la prime importante qu'il espérait toucher. Depuis ce jour-là, Bob me déteste et sa haine n'a fait qu'augmenter à mesure que je suis devenu un champion... »

Michel se tut, bouleversé par cette vieille histoire.

« Et Curtis? demanda timidement Colin. Qu'est-ce qu'il dit au milieu de tout ça?

— Bonjour, bonsoir. C'est un monsieur très poli, aucun reproche à lui faire », répondit Michel.

Puis il se tut définitivement. Colin comprit qu'il ne devait pas insister. Ils restèrent ainsi silencieux pendant plus d'une demi-heure. Quand, brusquement, leur parvinrent des voix, des cris, un aboiement familier... Quelques instants plus tard, le Clan au complet entrait dans le moulin.

Pierre apportait la trousse à outils de son père. Il eut vite fait d'y trouver la scie adéquate. Jacques fixa solidement un tronçon de la chaîne entre deux grosses pierres tandis que Georges et Colin maintenaient en équilibre cet établi improvisé. Et, ho-hisse, ho-hisse, chacun à leur tour les garçons se mirent à scier.

Pendant ce temps, les filles versaient à boire à Michel, qui depuis deux jours n'avait pas avalé une goutte de liquide. Bob avait bien pensé aux sandwiches mais il avait complètement négligé la boisson.

Lentement, mais sûrement, la scie attaquait le maillon. A chaque coup une pincée de limaille tombait de l'entaille. Ils durent s'arrêter à plusieurs reprises, mouiller la chaîne pour refroidir le métal. Michel les encourageait de toutes ses forces mais le malheureux était fou d'inquiétude. Il regardait sa montre, craignant à tout instant de voir arriver Bob.

Enfin le maillon céda. Au moyen de marteaux et de pinces, ils parvinrent à l'écarter.

Michel était libre!

« Demain tu remporteras le premier Grand Prix de Meauvert! s'exclama Pam tout émue.

— Et Bob en sera pour ses frais! continua Jacques joyeusement.

— En attendant, quittons ces lieux, décida Michel. Je n'aimerais pas que nous nous retrouvions nez à nez avec lui.

— Quelle tête il fera lorsqu'il ne retrouvera qu'un bout de chaîne! » dit Jeannette en riant.

La nuit tombait lorsqu'ils sortirent du moulin. Ils parcoururent à tâtons le lit de la rivière et récupérèrent leurs bicyclettes garées sur le pont. Michel emprunta celle de Pierre et prit Jeannette sur le porte-bagages.

Et c'est ainsi, en évitant la grande route, qu'ils rentrèrent à Blainville. En chemin, les Sept avaient décidé que Michel ne pouvait pas rentrer à son hôtel; il y avait trop de risques pour lui. Il passerait donc la nuit chez M. et Mme Dufour, les parents de Pierre. Pam irait à la gare accueillir Mariane avec Babette. Elles lui expliqueraient toute l'aventure et l'une d'elles l'inviterait à dormir chez elle, tandis que Jacques, Georges et Colin iraient au *Grand Hôtel* prévenir Jeannot et M. Lemercier du retour de Michel.

Ainsi fut fait. La nuit s'écoula sans incident. Et le lendemain, à deux heures, Michel Létang, au grand étonnement de tous, entrait triomphant dans son stand!

Jeannot était à la fête! Il n'arrêtait pas de siffler. Dans l'euphorie, il avait briqué la voiture de Michel du capot aux pots arrière. Le bolide rutilait!

Les spectateurs emplissaient peu à peu les tribunes. Ils s'entassaient déjà sur plusieurs rangs tout le long du parcours, postés derrière les bottes de paille.

Les Sept étaient là, bien sûr, fidèles à Michel, montant la garde devant son stand.

A deux heures vingt, Curtis arriva, impassible comme à son habitude. Bob le suivait, sinistre. Curtis entra dans son stand sans jeter un coup d'œil du côté de Michel; Bob, lui, roula un regard noir qui en disait long; quant aux deux

ET C'EST AINSI, EN ÉVITANT LA GRANDE ROUTE, QU'ILS RENTRÈRENT À BLAINVILLE.

LE BOLIDE RUTILAIT !

pestes, elles ne purent bien entendu s'empêcher de faire des réflexions de mauvais goût.

« Ta victoire est dans le lac, Michel Létang! lança Suzy très fière de son calembour.

— Il est fini « lé temps » où tu gagnais », renchérit Nicole derrière elle.

D'un coup de coude bien placé entre les côtes, Pierre retint Jacques qui s'élançait corriger les deux impertinentes.

« Pas de scandale ici! chuchota-t-il sèchement. Ces rivalités se régleront pendant la course. »

Déjà on roulait les premières voitures vers la ligne de départ. Les haut-parleurs avaient cessé de diffuser leurs musiques entraînantes et annonçaient l'ordre de départ des concurrents. Ordre déterminé par les temps réalisés aux essais. Curtis, qui avait accompli le meilleur score, partirait le dernier. Evidemment, Michel, privé de deux jours d'entraînement, ne bénéficiait pas de cet avantage. Il occupait la trente-deuxième place sur quarante-neuf concurrents.

La foule était vraiment très nombreuse. A tel point que les ouvreurs refusaient l'entrée des tribunes, trop surchargées. Jamais Meauvert n'avait connu une telle animation. Du pied au sommet, la montagne s'était transformée en fête foraine.

On ne comptait plus les marchands de friandises, de frites et de souvenirs. Des banderoles, des ballons, des drapeaux avaient envahi les abords de la piste.

Alors que la foule attendait l'instant où le premier bolide « avalerait » la côte, le speaker continuait inlassablement les annonces. Lorsqu'il fit part de la participation de Michel Létang, une ovation s'éleva en même temps des tribunes de départ jusqu'au château de Meauvert. Plus de cinq mille poitrines gonflées d'enthousiasme saluèrent la présence du champion!

C'est à ce moment que Mariane retrouva son fiancé. La jeune fille était grave. Vêtue simplement, les cheveux tirés, elle alla embrasser Michel. Pam ne perdit rien de la scène. Elle les vit se parler, se sourire et s'embrasser à nou-

JAMAIS MEAUVERT
N'AVAIT CONNU UNE
TELLE ANIMATION.

veau. Déjà Jeannot poussait la voiture bleue vers le départ. Michel prit son casque et, en un dernier adieu, adressa à Mariane un clin d'œil en croisant l'index et le majeur de sa main gauche. Mariane lui répondit par le même signe puis elle rejoignit les Sept pour assister avec eux à la course.

Pierre sortit alors les trois talkies-walkies du sac qu'il portait sur l'épaule.

« Georges et Jeannette, voici le vôtre! dit-il en tendant l'un des appareils à sa sœur. Grimpez vite à l'arrivée et mettez-vous immédiatement en liaison. Colin, prends celui-ci et installe-toi avec Pam et Babette à mi-parcours. Moi, je reste ici avec Jacques; nous vous transmettrons les départs.

— Dépêchez-vous! précisa Mariane. La première voiture démarre dans moins d'une demi-heure. »

Les trois équipes se séparèrent sans attendre.

Georges et Jeannette venaient à peine de s'installer au pied des tribunes qui faisaient face au château que Pierre leur annonçait par radio le départ du premier concurrent. Aussitôt, Georges déclencha son chronomètre.

Un peu plus bas, dans un lacet, situé juste à l'intersection d'un petit chemin forestier, Colin, Pam et Babette fixaient tous trois la trotteuse de leurs montres-bracelets.

« 1 mn 34 s! s'écria Colin au passage de la première voiture.

— 3 mn 12 s! » claironna Georges lorsqu'elle franchit la ligne d'arrivée.

Au départ, Pierre nota le temps du premier concurrent, sans oublier celui de son passage à mi-course.

Toutes les minutes, le drapeau noir et blanc s'abaissait. Toutes les minutes environ, Colin et ses deux camarades voyaient un bolide passer en soulevant des nuages de poussière. Toutes les minutes aussi, Georges et Jeannette notaient l'arrivée d'une voiture.

Plus le temps passait et plus les concurrents étaient chevronnés. Après le numéro vingt-cinq, les choses devinrent vraiment sérieuses. Colin, Pam et Babette durent se reculer pour plus de sécurité. Les coureurs prenaient maintenant le virage en épingle à cheveux à plein gaz. A une telle vitesse, l'arrière de leurs voitures était déporté et frôlait les bottes de paille.

Ils virent passer le numéro vingt-huit, vingt-neuf puis le trente et le trente et un, quand Pierre annonça enfin ce que tous les sept attendaient le cœur battant.

« Ici le départ, Michel s'apprête à partir, il fait ronfler son moteur à pleine gomme! Ça y est. Le compte à rebours a démarré. Six, cinq, quatre, trois, deux, un. Whaôôô! Il fonce comme

une fusée. Autour de moi, tout le monde l'applaudit. Il va gagner! Il va gagner! »

Aux cris de la foule qui accompagnaient Michel tout au long du parcours, Pam sut qu'il n'était pas loin. Elle entendait nettement les applaudissements se rapprocher. Puis elle distingua le bruit du moteur. Enfin elle le vit déboucher à une folle allure du lacet précédent. Il montait maintenant droit sur eux, au maximum du régime de son moteur.

Pam avait peur. Comment parviendrait-il à une telle allure à négocier son virage? N'allait-il pas l'écraser elle et ses deux camarades?

Non, Michel cisailla! Colin vit nettement le va-et-vient des roues pour maintenir la voiture dans sa trajectoire. L'arrière dérapa et passa à moins d'un mètre des trois enfants.

Le bolide avalait maintenant la courte ligne droite jusqu'au prochain lacet, laissant sur son passage une forte odeur de caoutchouc brûlé.

« Les pneus! Il a pris son virage tellement vite que les pneus ont chauffé... expliqua Colin.

— 1 mn 43 s! s'exclama Babette qui n'avait pas perdu son sang-froid et avait vu le temps de Michel.

— Oh, mon Dieu! hurla soudain Pam en voyant là-bas à l'entrée du lacet suivant la voiture de Michel mordre dangereusement l'accotement, au bord du précipice.

— Il est passé! Ouf! » souffla Colin.

Dans les tribunes face à Meauvert, la foule des spectateurs était en délire. On scandait le nom de Michel, on déployait des banderoles en son honneur! Georges et Jeannette, médusés, assistaient à son arrivée triomphale.

« 2 mn 59 s! » annonça Georges, le souffle coupé.

C'était le meilleur temps!

Dès lors, la course perdit quelque peu de son intérêt. Les concurrents suivants étaient plus faibles. Il fallut attendre l'Italien Angelo Janini pour connaître de nouvelles émotions. Il réalisa 3 mn 05 s. Gonzalez, lui, rata sa montée en effectuant un temps très médiocre. Enfin, le dernier concurrent s'élança : c'était Curtis!

Lorsque Colin le vit apparaître, véritable boulet rouge, il tremblait de trac.

« 1 mn 33, 1 mn 34, 1 mn 35 », comptait-il haletant.

Allait-il battre Michel? Non, ce n'était pas possible! Pam, terriblement nerveuse, mordait son foulard bleu.

« 1 mn 39, 1 mn 40, 1 mn 41! cria le garçon. Il prend la première place, ajouta-t-il déçu.

— Michel n'a fait qu' 1 mn 43, rappela Babette d'un ton morne.

— Tout n'est pas perdu! lança brusquement Colin en désignant le virage où Curtis s'engageait maintenant. Regardez, il dérape, il ne se rétablit pas!

— Non! » hurla Pam.

Par miracle la voiture s'immobilisa au bord du précipice. Quelques centimètres de plus et c'était la chute... Aussitôt le bolide repartit.

Moins d'une minute plus tard, Georges annonçait son passage sur la ligne d'arrivée.

« 3 mn 07! » communiquait-il.

Curtis n'avait pas fait mieux que Michel! Huit secondes même séparaient les deux coureurs! La deuxième manche s'annonçait donc palpitante!

**
*

La course s'arrêta pendant une demi-heure environ, le temps nécessaire aux concurrents pour redescendre jusqu'au départ. Parmi la lente procession des voitures, Colin, Pam et Babette hélèrent leur ami au passage. Le jeune homme arborait un sourire éclatant.

« Bravo, Michel, lui cria Babette. Nous fêterons bientôt ta victoire! »

Pam lui envoya un baiser et Colin lui fit signe avec ses doigts croisés, comme il l'avait vu faire à Mariane avant le départ.

Devant les stands, Pierre et Jacques attendaient Michel. Parmi la foule qui se pressait de plus en plus nombreuse, ils avaient perdu Mariane et Jeannot.

Déjà les premiers concurrents redescendaient la côte. Les mécaniciens dirigeaient les voitures

vers les pompes à essence et veillaient au remplissage des réservoirs.

Bientôt toutes les voitures furent sur l'esplanade de départ, la piste était libre à nouveau. La voiture n° 1 s'apprêtait à repartir.

« Quatre, trois, deux, un, zéro! »

Le drapeau quadrillé noir et blanc s'abaissa pour la deuxième manche! La ronde infernale allait durer une heure encore.

En attendant leur tour, les différentes équipes discutaient fort. Et parmi elles, la plus véhémente était certainement la rouge, celle de Jimmy Curtis. Postées aux premières loges, les deux pestes ne perdaient rien des propos du coureur.

« Sans ce satané virage, rageait Curtis, je lui mettais deux secondes dans la vue. J'ai rétrogradé trop tard, quand j'ai abordé l'épingle. J'étais à 5000 tours; si je n'avais pas freiné, je plongeais dans le ravin...

— Ne t'inquiète pas, Jimmy. Le petit Létang n'est pas si solide que ça, assura Bob. Il va flancher, fais-moi confiance, jamais il ne tiendra le coup dans la seconde manche... »

A ces mots, Suzy et Nicole échangèrent des œillades, ravies d'entendre parler en ces termes du favori des Sept. Ah! comme elles auraient aimé narguer l'un d'eux en lui répétant les paroles du mécano américain. Comme elles auraient aimé voir la tête de ce prétentieux chef

du Clan à la noix de coco. Ce Pierre Fournier qui se croyait tout permis, qui décidait, tranchait, punissant à son gré du haut de son mètre vingt-cinq et de ses onze ans! Comme elles auraient aimé...

Pierre se trouva soudainement nez à nez avec elles! Jacques arrivait sur ses talons.

« Le Clan des andouilles en vadrouille! s'exclama Nicole en zozotant.

— On relève la tête, on pavane! persifla Suzy. Profitez-en, mes agneaux, Létang n'en a plus pour longtemps!

— Huit secondes d'avance, rétorqua Jacques. Conseillez donc à Curtis de piloter une fusée la prochaine fois.

— Létang flanchera! affirma Suzy. Il ne tiendra pas le coup dans la seconde manche. C'est Bob qui l'a dit.

— On verra, on verra », répondit Pierre en passant son chemin.

Les deux garçons s'éloignaient des deux pestes en se répétant leurs paroles quand, soudain, ils réalisèrent!

« C'est Bob qui l'a dit! Quelle horreur! s'exclama Pierre pris de panique.

— Il ne tiendra pas le coup dans la seconde manche! répéta Jacques en tremblant.

— Je parie que cet horrible bonhomme a manigancé un mauvais coup! » supposa Pierre effrayé.

Les garçons se mirent à courir, à perdre haleine, fendant la foule à toute allure. Ils n'étaient plus qu'à une trentaine de mètres de la ligne de départ — ils apercevaient déjà le drapeau noir et blanc du juge — quand ils entendirent le speaker annoncer :

« Michel Létang au départ! Michel Létang au départ! Attention chronomètre! Dix, neuf, huit, sept, six...

— Non! hurla Pierre en bousculant sans ménagement deux spectateurs qui lui barraient le chemin.

— Ne le laissez pas partir! cria Jacques à se casser la voix.

— Trois, deux, un, zéro! »

Les deux garçons arrivèrent trop tard. La voiture s'élançait dans un bruit d'enfer.

Que faire?

Pierre ne perdit pas son sang-froid. Il saisit son talkie-walkie.

« Allô, Colin. Ici Pierre! Michel vient de partir. Vous devez l'arrêter, je répète, vous devez l'arrêter.

— Quoi! s'exclama Colin dans l'appareil.

— Sa voiture a été sabotée! hurla le chef du Clan paniqué.

— Pourvu qu'il ne soit pas trop tard », supplia Jacques à haute voix.

Un petit attroupement s'était formé autour des deux garçons.

« Qu'est-ce que vous racontez? demandaient les officiels alertés.

— Où avez-vous été pêcher cette nouvelle? » réclamaient les journalistes avides de sensationnel.

Pierre n'entendait pas leurs questions : il attendait fébrile que Colin le rassure.

A mi-parcours, dans le lacet où Pam, Babette et Colin s'étaient postés, il se passait de drôles de choses. Les spectateurs effarés poussaient des cris d'exclamation.

« Ils vont se faire tuer!

— La prochaine voiture ira tout droit dans le ravin.

— Il faut les empêcher! »

Les trois amis couraient, criaient, agissaient comme des fous. Ils avaient décidé de dévier la trajectoire de Michel. Aussitôt la dernière voiture passée avant la sienne, ils avaient bondi sur la piste, sachant qu'ils n'avaient qu'une minute pour agir.

Avec une rapidité inouïe, ils déplacèrent les bottes de paille qui bordaient le virage, dégageant l'entrée du chemin qui, dans l'axe de la route, montait tout droit dans la forêt. Un changement d'aiguillage en quelque sorte! Au lieu de tourner, Michel devrait continuer tout droit car, maintenant, la piste se trouvait barrée sur toute sa largeur.

Avec un courage frôlant l'inconscience, Pam,

Babette et Colin grimpèrent sur les bottes de paille au milieu de la piste. Quand ils virent la voiture de Michel sortir du virage inférieur, ils s'agitèrent comme des pantins pour faire signe à leur ami du changement qu'ils venaient d'opérer.

La voiture bleue s'approchait inexorablement sans ralentir.

Michel avait-il vu les trois enfants? Avait-il compris les signes désespérés qu'ils lui adressaient? Les spectateurs criaient d'effroi.

La voiture fonçait toujours. Colin, Pam et Babette restaient en place, indiquant la direction de la forêt.

Michel était à moins de dix mètres... cinq mètres maintenant! Allait-il tourner comme il l'avait toujours fait depuis le début des essais?

Non! Il passa tout droit, cahotant dangereusement sur le chemin inégal qui s'enfonçait dans la forêt.

Colin et les deux filles ne prirent pas le temps de souffler. Ils remirent en place les bottes de paille, ouvrant à nouveau la route, reformant le tournant. Il était temps! A peine eurent-ils terminé que la voiture suivante passait en trombe!

Ouf! Ils avaient eu chaud!

Mais ils ne s'attardèrent pas sur les conséquences catastrophiques qu'aurait pu avoir leur entreprise; ils coururent sans attendre rejoindre Michel.

Le coureur s'était arrêté à une centaine de mètres sur le chemin forestier. Lorsque les trois enfants le rejoignirent, il sortait, hébété, de son bolide.

« C'est de la folie! s'écria-t-il en retirant rageusement son casque. Quelle mouche vous a piqués? »

Colin se préparait à lui expliquer l'appel dramatique de Pierre quand il remarqua le pneu arrière gauche de la voiture.

« Tu es à plat! Complètement à plat! » annonça-t-il en désignant la roue arrière.

Aussitôt Michel se pencha pour constater les dégâts. A sa grande surprise, il découvrit, planté profondément dans le caoutchouc du pneu, un clou énorme!

« La piste a été entièrement balayée une heure avant la course! s'étonna-t-il. Je ne comprends pas... »

Colin saisit le clou pour l'examiner.

« *Made in U.S.A.!* annonça-t-il triomphant. C'est gravé sur la tête.

— Bob! s'écria Pam. C'est un coup de Bob!

— Le criminel! » souffla Babette estomaquée.

Michel réalisa soudain qu'il l'avait échappé belle.

« Sans vous, je serais mort à la minute où je vous parle, déclara-t-il très ému. A grande vitesse, ce n'est pas possible de tenir la direc-

tion avec une roue à plat. Je serais arrivé dans un virage et je n'aurais jamais pu braquer. De deux choses l'une : ou je m'écrasais contre le rocher ou je faisais le grand saut dans le ravin... »

Les larmes aux yeux, Pam sauta au cou de Michel et l'embrassa à l'étouffer.

« Tu es vivant, tu es vivant! » répétait-elle secouée de sanglots.

Comme si rien ne s'était passé, la course se poursuivit jusqu'au dernier concurrent. Curtis réalisa un temps exceptionnel, rattrapant tout son handicap par rapport à Michel. Il prit donc la première place. Et l'on s'apprêtait déjà, dans les tribunes officielles qui faisaient face au château de Meauvert, à lui décerner la couronne du vainqueur. Mais les organisateurs, ayant appris « l'incident » survenu à Michel Létang, l'autorisèrent à un deuxième essai. Stimulé, Michel pulvérisa alors le record établi depuis peu par Curtis en réalisant le temps incroyable de 2 mn 43 s!

Des mains mêmes de M. Perdaillon, maire de Blainville, il reçut la coupe et la couronne du vainqueur. Et c'est auréolé de fleurs qu'il redescendit au pas la côte, salué par la foule qui l'acclamait. Georges et Jeannette l'accompagnaient assis sur les ailes du bolide. Au passage, Colin, Pam et Babette grimpèrent à leur tour sur le véhicule.

Revenu au départ, Michel tendit solennelle-

ment sa couronne de laurier à Pierre et Jacques qui s'avançaient pour le féliciter.

« Cette victoire vous appartient autant qu'à moi, leur confia-t-il. Sans vous, Meauvert était ma dernière course. »

A cet instant, Curtis s'approcha pour féliciter Michel. Véritablement bouleversé, le champion américain lui déclara qu'il mettrait un point d'honneur à faire exclure Bob de la profession.

« Les hommes malhonnêtes n'ont rien à y faire! »

Mariane et Jeannot se joignirent au groupe. Il y eut des embrassades, des larmes de joie, des « Hip, hip, hip, hourra »!

« Vive, vive le Clan! scandait l'équipe bleue. Vive les Sept, vive le Clan des Sept!

— Vive les Pestes! » lança Georges.

Car sans leurs langues bien pendues...

IMPRIMÉ EN FRANCE PAR BRODARD ET TAUPIN
7, bd Romain-Rolland - Montrouge.
Usine de La Flèche, le 04-08-1982.
1273-5 - Dépôt légal n° 5117, août 1982.
20 - 05 - 6271 - 03   ISBN : 2 - 01 - 007122 - 0
Loi n° 49-956 du 16 juillet 1949 sur les publications
destinées à la jeunesse. Dépôt : juin 1980.